Dad Gorau'r BYD I GYD

I 'nhad, a oedd yn wir y tad gorau yn y byd i gyd,
ac i'm chwaer, Marilyn, a'i rhannodd gyda mi - G.L.

I fy nhad, gyda llawer o gariad - V.C.

Cyhoeddwyd gan Gymdeithas Lyfrau Ceredigion Gyf.,
Blwch Post 21, Yr Hen Gwfaint, Ffordd Llanbadarn, Aberystwyth SY23 1EY

Addasiad: Gwenllïan Dafydd

ISBN 1-84512-041-8
Cyhoeddwyd gyntaf yn 2005 gan Orchard Books,
96 Leonard Street, Llundain EC2A 4XD
Teitl gwreiddiol: *Best Daddy in all the World*

Argraffwyd yn China

Dad Gorau'r BYD I GYD

GILL LOBEL &
VANESSA CABBAN

"Ha, ha, ha. He, he, he,
wnewch chi mo 'nal cyn amser te!"
chwarddodd Clustiau Cwta
wrth iddo redeg trwy'r blodau menyn
a'i gynffon fach wen yn bownsio.

“O, gwnaf, mi wnaf!” gwaeddodd Dadi Cwningen. Ac fe gydiodd yn Clustiau Cwta â’i bawennau cryf, meddal.

“Rŵan, ’ta, bwtyn bach,” meddai, “mi gei di chwarae am ychydig – ond gofala beidio crwydro’n rhy bell . . .”

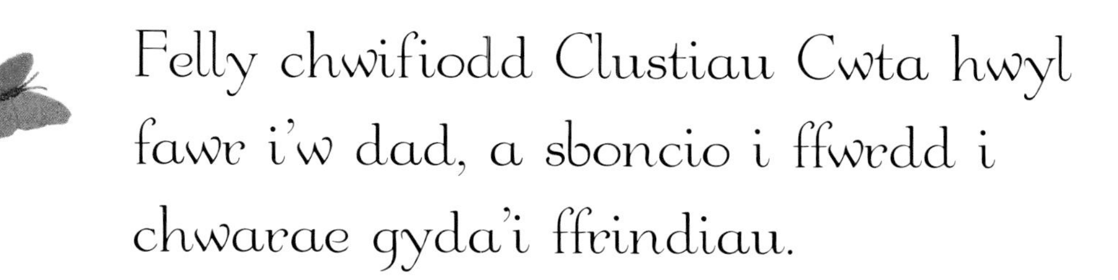

Felly chwifiodd Clustiau Cwta hwyl fawr i'w dad, a sboncio i ffwrdd i chwarae gyda'i ffrindiau.

Cafodd y tri hwyl yn chwarae 'dal-fy-nghynffon' o gwmpas yr hen dderwen fawr ac yn neidio dros y blodau. Chwarae a chwarae nes bod Clustiau Cwta'n teimlo'n boeth ac yn llwglyd. Ac yna fe'i gwelodd . . .

Draw yn y pellter, ar ochr bellaf y ddôl, roedd yna glwt o gae yn llawn meillion pinc blasus!

Ac mewn fflachiad cynffon fach wen, i ffwrdd â fo.

Anghofiodd Clustiau Cwta bopeth am beidio crwydro'n rhy bell, a sbonciodd i ffwrdd i chwilio am y blodau melysaf. Ymhen dim roedd wedi colli golwg ar ei ffrindiau, a'i gartref.

Dyna flinedig oedd o! Agorodd ei geg led y pen a swatio mewn swp o redyn trwchus, gan wrando ar suo'r gwenyn uwch ei ben. Mewn dim o dro roedd yn cysgu'n drwm.

Yn sydyn teimlodd Clustiau Cwta rywbeth gwlyb yn taro'i drwyn! Edrychodd ar yr awyr. Roedd cymylau duon yn gyrru, gyrru, a syrthiodd diferyn arall o law ar ei ben. Chwipiodd gwynt oer drwy'r glaswellt, a phigodd diferion o law rhewllyd ei glustiau.

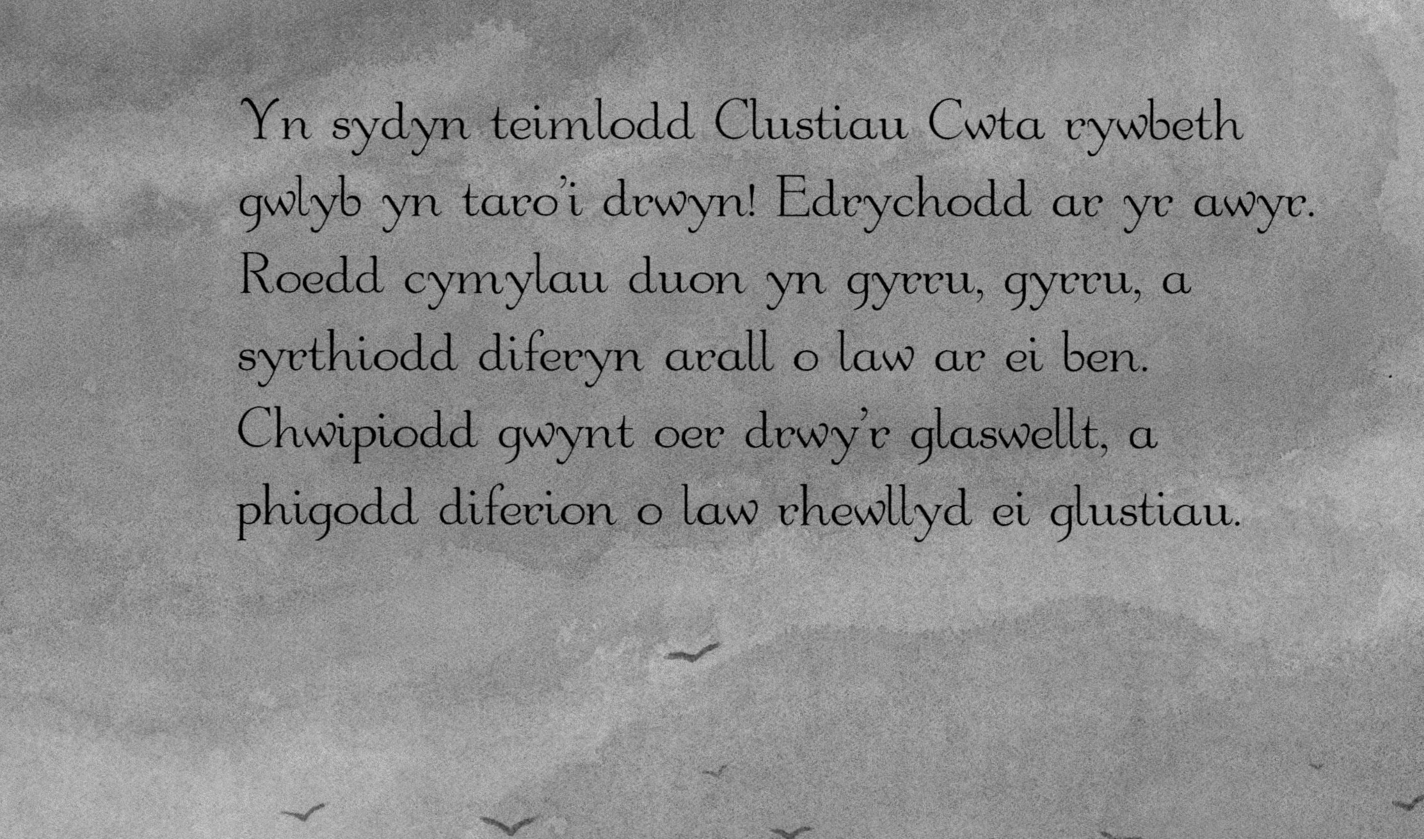

“Dwi ddim yn hoffi hyn,” meddai. “Dwi isio Dad!”
A throdd yn ôl am adref . . .

Sbonciodd i fyny'r bryn. Yna arhosodd.
Trodd yn ei unfan, a'i galon yn dyrnu.
Roedd rhywbeth o'i le.
"Nid fy nghae i ydi hwn!" llefodd.
"Sut mae mynd adre?"

Rhedodd a rhedodd Clustiau Cwta.
Yna clywodd lais – llais ei dad!
“Dad!” llefodd. “Dad! Dyma fi!”

Trodd cwningen fawr ato.
“Pwy wyt ti?” gofynnodd.
“Ro’n i’n meddwl mai Dad oeddech chi!”
ebychodd Clustiau Cwta. “Ond nid Dad
ydych chi!” Cododd ei wyneb at y machlud
a beichio crio.

“Paid â chrio, ’ngwas i,” meddai Bwch Boliog. “Mi helpa i di i ddod o hyd i dy dad.” Yna trawodd y ddaear â’i draed nerthol.

Ysgydwodd y bryn, a byrlymodd cwningod
o bob twll a chornel!

"Disgrifia dy dad inni," meddai Bwch Boliog.
Gan ymladd am ei anadl ac igian crio, "Dad ydi'r tad gorau yn y byd i gyd!" meddai Clustiau Cwta.
"Dwed fwy wrthon ni am dy dad," meddai un fam gwningen yn garedig.

"Dad ydi'r tad cryfaf yn y byd i gyd,"
meddai Clustiau Cwta.
"Dei Derw ydi'r bwch cryfaf yn yr ardal yma,"
sibrydodd un gwningen.
"Beth am Sam Solet?" meddai un arall.
"Neu Huw Fawr," mwmialodd un arall.

"Hei chi, blantos," meddai Bwch Boliog, "ewch i nôl y cwningod cryfaf y gallwch ddod o hyd iddyn nhw!" Fflachiodd cynffonnau gwynion yng ngolau'r machlud, a chyn pen dim clywyd sŵn taranau ar lethrau'r bryn.

Daeth tri o'r cwningod cryfaf i'r golwg.
Roedd eu brestiau'n fawr.
Roedd eu coesau fel boncyffion.
"Weli di dy dad?" holodd Bwch Boliog.
Yn y gwyll craffodd Clustiau Cwta ar
wynebau'r cwningod a sychu deigryn o'i foch.

“Na, nid Dad ydi’r un o’r rhain,” meddai’n drist.
“Dwed fwy wrthon ni amdano,” meddai pawb.
“Mae gan Dad y clustiau hiraf yn y byd i gyd!”
sibrydodd Clustiau Cwta.

"Ewch i nôl Cai Cwlwm," meddai Bwch Boliog.
"A Chlustfain, a Hopcyn Hir!"
Tybed a fyddai Dad yn eu plith y tro hwn?
Roedd Clustiau Cwta ar bigau'r drain.

Ymhen dim, dyma chwe chlust hir sgleiniog, sidanaidd yn ymddangos dros ael y bryn. Edrychodd Clustiau Cwta ar y cwningod siriol.

"Na, nid Dad ydi'r un o'r rhain chwaith," ochneidiodd.

"Dwed fwy wrthon ni amdano," meddai Bodo Annwyl, gan ei anwesu â'i phawen.

"Dad ydi'r tad mwyaf mwythlyd yn y byd i gyd!" meddai Clustiau Cwta.

"Hawdd!" meddai'r cwningod fel un. "Medwyn Mwythlyd!"

Gwyliodd pawb wrth i gwningen fawr gwtshlyd gerdded tuag atynt. Roedd ei wên mor gyfeillgar, a'i ffwr arian mor feddal a chynnes, fel bod Clustiau Cwta yn ysu am ei fwytho.

Ond ysgydwodd Clustiau Cwta ei ben yn ddigalon. “Na,” igiodd, “nid Dad ydych chi. Efallai na wela i Dad byth eto!” A llifodd deigryn arall i lawr ei foch.

Yn sydyn clywyd sŵn traed ffrwstlyd, ac yng ngolau'r lloer gwelsant gwningen bryderus yr olwg yn brysio tuag atynt. Syllodd pawb ar ei gynffon garpiog, ei glustiau rhacsiog, a'i wisgers blêr . . .

. . . ond roedd ei lygaid yn pefrio â chariad.

Llamodd Clustiau Cwta i'r awyr yn llawen,
a'i hyrddio'i hun i freichiau ei dad.

"Dyna chi," broliodd Clustiau Cwta.
"Mi ddeudais i mai Dad oedd y tad
gorau yn y byd i gyd, yn do?"